ある日、三平にいたずらたぬきが大根を投げつけてきました
ポンポコポ
ちきしょう！ゆるさないぞ！
地下に逃げたいたずらだぬきは古いツボを開けてしまって……
ドロドロ
わしは、魔法
JN196303
魔法だぬきが出てきて、この後どうなる!?
さっそく読んでみよう！

【新装版】水木しげるのおばけ学校⑧

カッパの三平 魔法だぬき

登場人物

十人の小人

おじいさん

河原三平

カッパ

いたずらだぬき

魔法だぬき
村長さん
おとうさん
おかあさん

いままでのあらすじ

山奥に、カッパによくにた河原三平という子どもが、おじいさんとふたりで、すんでいました。ある日、三平はカッパにまちがえられて、カッパの世界へつれてゆかれます。一時は人間であることがばれて、殺されそうになりましたが、カッパは三平がしょうじきな少年なので信用します。

カッパの長老は、自分のむすこを三平といっしょに人間の世界に留学させることにしました。
留学といっても、カッパであることがわかってはいけないので、三平とこうたいで学校にゆきます。顔がそっくりなので、ばれる心配はありません。
ところが、三平のかわりに水泳大会に出場したカッパは、世界新記録を出してしまいました。
それからというもの、三平は、泳げないのに、水泳選手にされてしまいました。

「三平、おまえに見せておきたいものがある。」

ある日、おじいさんは、あらたまって、三平を外へつれだしました。

「おまえも知ってのとおり、これはうちの畑だ。

いま、大根をまいたところだ。」

三平は、(おじいさんも、ずいぶんあたりまえのことを言うんだなあ)

と思いながら、だまってきいていました。

「わしも、もう長くはない。おまえの両親のことを話しておかなけりゃあならんと思うてのう。」

おじいさんは、三平の父親について語りはじめました。

「頭のいい、やさしい子どもじゃったが、東京の大学を出ると、妙な研究にこりおっての。親類をだまして金をかり、ゆくえをくらましてしまった。おかあさんも、こんなたよりない父親では、おまえのさきゆきがあんぜられる、と東京にはたらきに出て、そのまんまじゃ。」

そう言うと、おじいさんは、さびしそうにわらいました。

それから一か月後、おじいさんは、
ポックリ、なくなってしまいました。
「とうとう、ひとりぼっちになってしまった。
父も母もいながら、こんな山の中で
ひとりぼっちでくらさなけりゃあならない。
これも、おとうさんがろくでなしだから
だ……。おとうさんのバカ……。」

　なきべそをかきながら、
三平がねていると、
いつのまにか、いたずらだぬきが
やってきて、横で、グーグー、
いびきをかいてねています。

「あっ、たぬきのやつ。
たぬき汁にするぞー。」
気がついた三平は、
ほうきでなぐりつけました。
たぬきは、コブをひとつ
つけられて、あわてて
にげだしました。

「戸をしめてねないと、たぬきが
入ってきてこまる。」
三平が戸をしめて、またねていると、
外で戸をたたくものがいます。
「三平ッ。シャンペイ。」
あ、なつかしいおじいさんの声。
三平がとんでいって、
ガラガラと戸をあけると……。

ポカリ！

たぬきに棒でなぐられてしまいました。

「へへえ、さっきのお返しだい。」

たぬきは、ひるま、三平になぐられたコブと同じ大きさのコブを、三平の頭にのこして、にげていきました。

ポカリ

そのあくる日、三平はたぬきにつけられたコブをさすりながら、畑しごとにせいを出していました。

「いまいましいたぬきめ。これというのも、おとうさんがしっかりしていないからだ。」

勝手なことを言いながら家にかえると、げんかんに、見なれないくつが、おいてありました。

奥を見ると、だれかがふとんをしいてねています。

その人は、三平のほうを見ると、くるしそうな声で言いました。

「あ、三平か。大きくなったなあ。おまえのおとうさんだよ。」

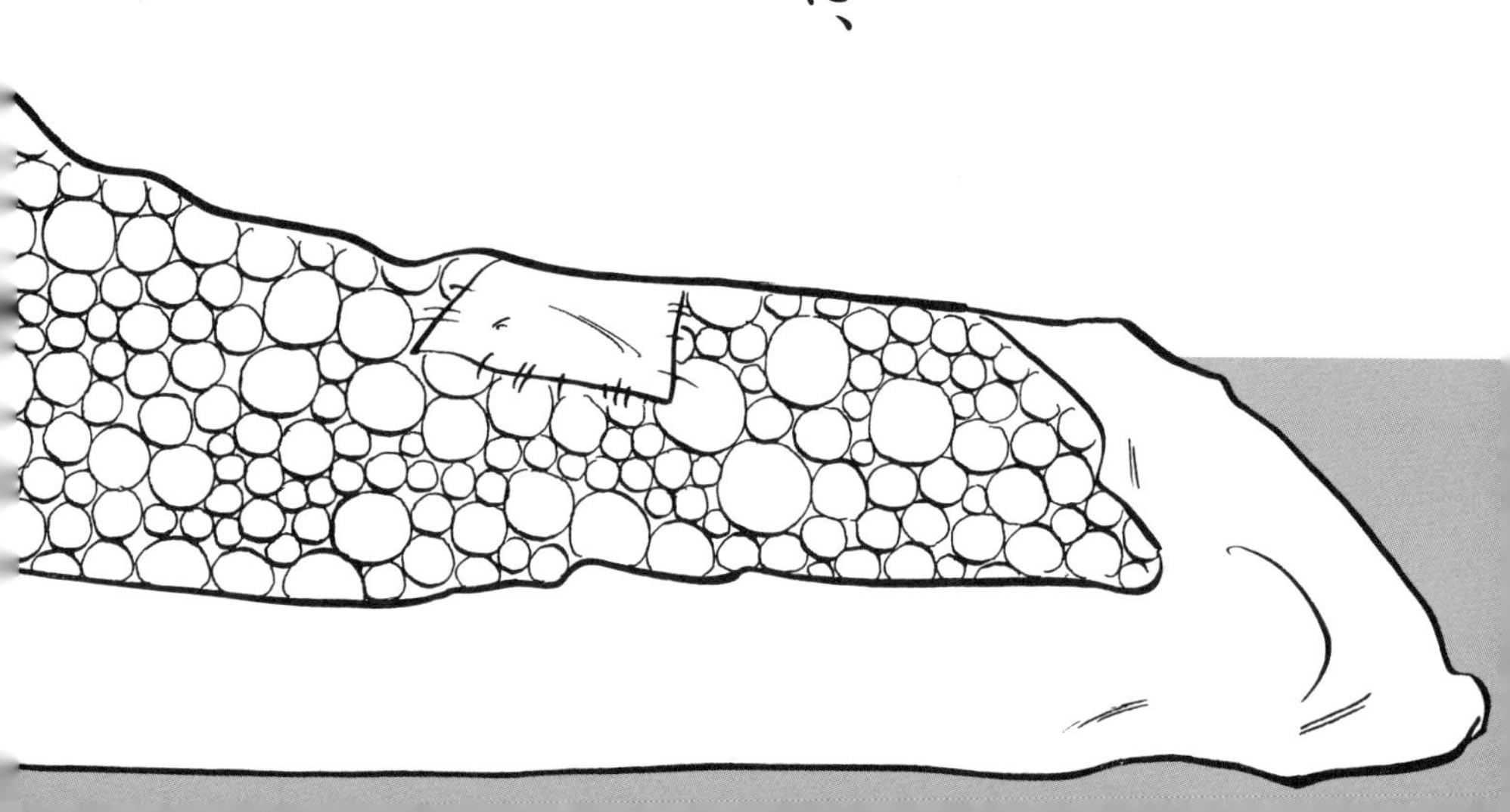

火の用心
家内安全

「なんだ、おとうさんか。」

あまりにもとつぜんのことなので、三平はすなおによろこべません。

「わしゃあ、病気になってしもうたんじゃ。おじいさんはどうしてる？」

おとうさんは、おじいさんがなくなったのも知らないのです。

「知りません。おとうさんなんかと、口もききたくありません。」

三平は、本心とは反対のことを言うと、うしろをむいてしまいました。

「おまえがおこるのもむりはない。

おとうさんは、おまえになにもしてやれなかったんだ。」

「……。」

「三平、水一ぱいもってきてくれ。」

「自分でのんだらいいでしょ。」

「そうか。そうだなあ。」

おとうさんは、さびしそうに横をむきました。

なにか考えこんでいるようでした。

あくる日、三平が畑しごとからかえってくると、
くつがなく、おとうさんのすがたも見えません。
そして、つくえの上には一通の遺書がおかれていました。

『親愛なる三平よ。
わしはもう死病にとりつかれているのだ。
河原家で死のうと思ったが、おまえにこれ以上
めいわくをかけるわけにもいかないので、
わしは山にいって死ぬ。けっしてわしをさがしたりするな。
そんなことより、わしのさいごのねがいをきいてほしい。
わしは大学を出ると、小人について興味をもった。

小人の話は、日本でもヨーロッパでも、古くからたくさんある。
だが、多くの人びとは、これを話として見過ごしている。
わしは小人という、人間に似たものがいたのではないかと考えた。
そして、骨でもよい、化石でもよい、さがしあてようと思って、
おじいさんや親類からお金をかりて、全国をさがしあるいた。
だが、そんなものはどこにもいなかった。
しかし、わしは、がんばった。
そして、とうとう七年目に小人の一族を発見した。』

遺書は、まだ、つづいていた。
『だが、小人たちは、
ぜつめつすんぜんだった。
わしは、おじいさんや
親類から金をかり、
かれらをやしなってきたが、
なにしろ人里はなれた山の中。
おとうさんも、とうとう
病気になってしまった。
やむなく、小人の一族を
トランクに入れて、ここまで
もってかえったというわけだ。』

「ええっ、おとうさんは小人を
発見していたのか。えらいなあ。」
三平は、
かんしんしてしまいました。
『三平よ、これから、わしに
かわって、小人たちを
やしなってくれないか。
ただし、この小人たちの
ことは、けっして人に
言ってはならぬ。
小人たちは心臓が小さく、
物におどろきやすい。
とくに、人間をおそれる。』

三平はさらに、読みつづけた。

『五、六人の人間が近づいただけで、きょうふのために、心臓マヒをおこして死んでしまう。

三平よ。わしも、この大発見を、なんど世間に発表しようと思ったか、わからない。だが、それは、この一族の死を意味する。

発表すれば、わしはノーベル賞をもらえたかもしれないが、自分の成功のために、貴重なさいごの一族をぎせいにする気にはなれなかった。

三平よ、どうか、小人をよろしくたのむ。　　父より』

遺書を読んで、三平は、ふるえる心をおさえることができませんでした。

「おとうさん。おとうさんは、ほんとうにえらい人だったのだ。」

三平は、なみだをぬぐいながら、おとうさんをさがしに出かけようとしました。

しかし、
「そうだ。おとうさんは、けっして
わしをさがすな、と言っていた。
それより、トランクを、
たぬきにでもとられたら
たいへんだ。」
と、思いなおして、
家にひきかえしました。
「もんだいのトランクは、
これだな。」
　トランクのふたをあけてみると、
カバンの中から、
小人が出てきました。

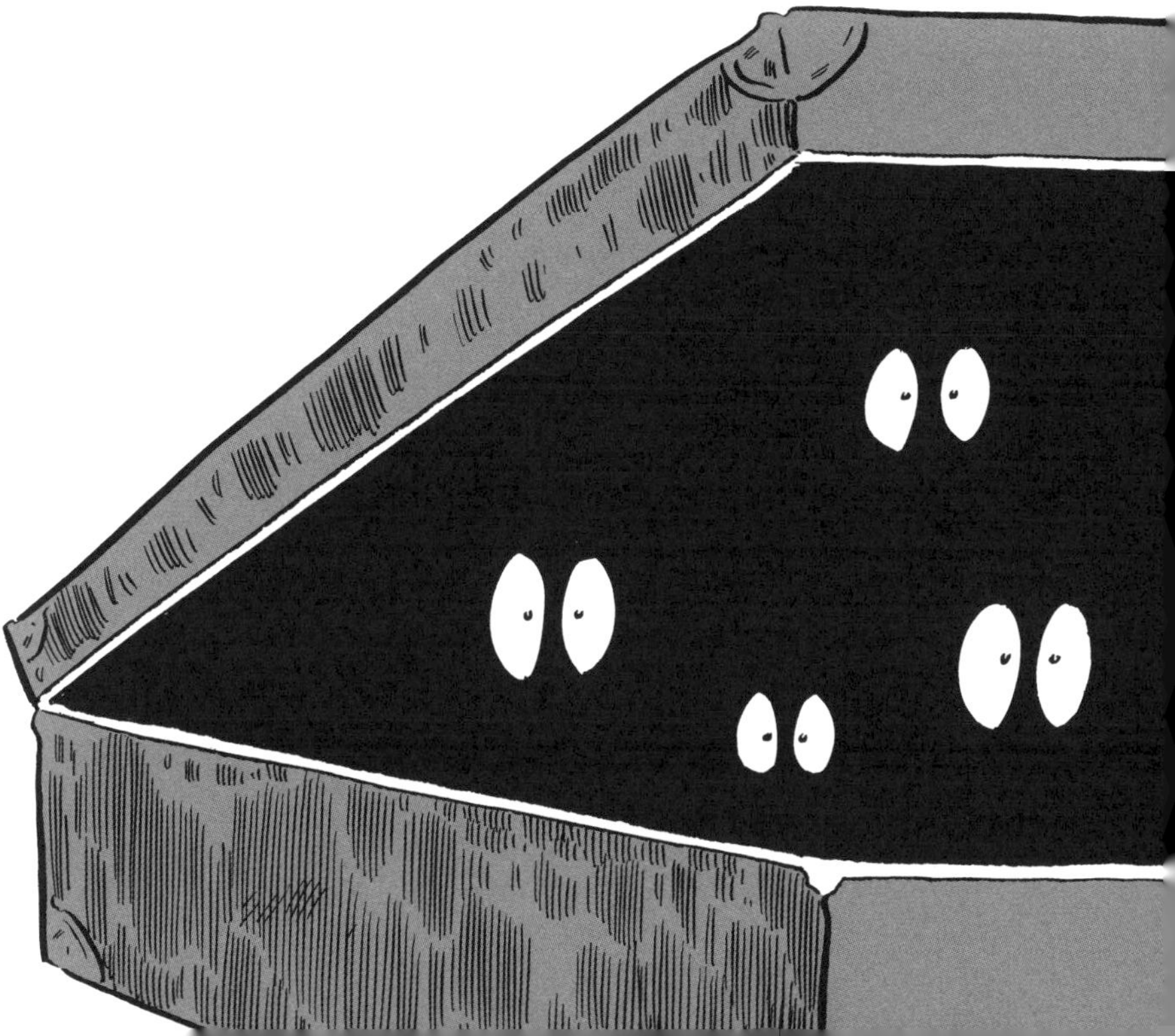

「うわぁ、こんな小さいカバンに、こんなにたくさんの小人が、入っていたのか。」

にわとりのたまごを細長くしたものに、手足がついて、うっすらと毛がはえています。それが十人も出てきたのです。

小人の長老らしいのが、言いました。

「みんな、あんしんするがいい。このおかたが、これから、われわれをやしなってくださるのだ。」

小人たちは、わさわさと、三平のまわりにあつまってきて、

「ワレラのカミよ。」

と、おがみはじめました。

三平は、とうとう十人の小人たちを、やしなわねばならなくなりました。

あわただしい一日がおわり、三平も小人も、ぐっすりねこんでいると、トントンと、戸をたたく音がします。

小人たちは、おどろいて、

「もしもし、三平さん、だれかきましたよ。」

と、三平をおこそうとしました。

しかし、三平は、ねむ気には勝てず、

「さわぐなよ、たぬきだよ。」

と言うと、また、ねてしまいました。

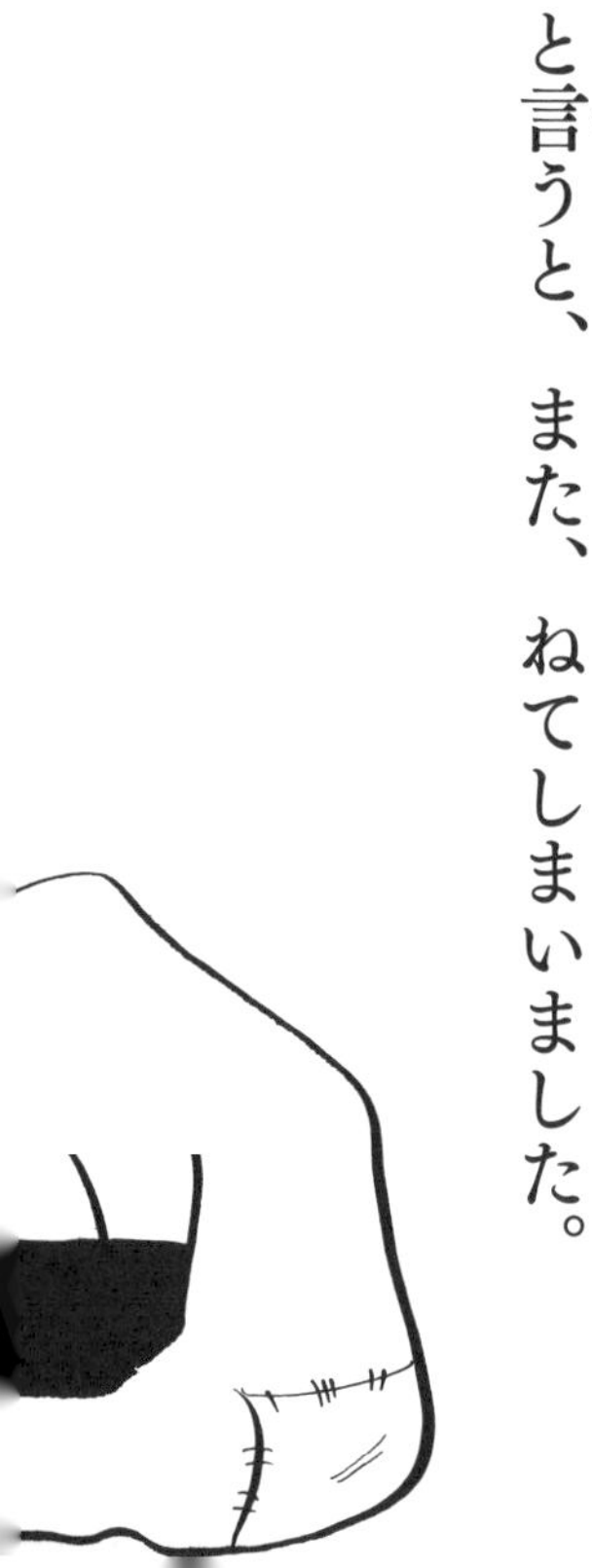

ところが、小人たちは、たぬきときいて、ますます、ふるえあがりました。

「われわれは、たぬきの大こうぶつなのです。三平さん、なんとかおいはらってください。」

「せわのやけるやつだなあ。」

三平は、しぶしぶ、戸をあけました。

ところが、だれもいません。

外に出て、キョロキョロしていると、
戸のかげにかくれていたいたずらだぬきが、
ゴツンと、石をなげてきました。
三平が、やられたふりをしてたおれていると、
たぬきが、ちかづいてきて、
「三平、もうひとつコブを出してやろうか。」
と、棒でなぐろうとしました。
そのしゅんかん、三平は、ヤッ、と
たぬきの足をつかんで、ひっくりかえし、
こんどはぎゃくになぐりつけました。
たぬきは、
「おたすけーっ。」
と、森の中へにげていきました。

朝になると、小人たちの食事のよういを
しなければなりません。
小人たちは、
「わたしたちは、朝露とはちみつしか食べません。」
と、言います。
しかも、このへんは、ねこやイタチ、たぬきなどが
ウロウロしているので、小人たちは、
自分で食事をさがしにいけないのです。
三平は、ツボとスポイトをもって、
草原に朝露とりに出かけました。
「あー、やっと、朝露はあつめたが、
はちみつがたいへんだ。そうだ、
あの神社のウラに大きなはちのすがあったっけ。」

くろうして、はちみつを
とってのかえりみち、
三平はなにかにつまずいて、
ころびました。
人が、たおれています。
「三平じゃないか。」
蚊のなくような声で、
その人は言いました。

「あっ、おとうさん！
こんなところにねていたんですか。
早く家にかえりましょう。ぼく……、
おとうさんを、
そんけいしています。」
三平は、おとうさんを家に
つれてかえりました。

さて、あくる日、チーンチーン、と、目ざまし時計。

「あっ、もう学校にゆく時間だ。」

一日も学校を休むな、というのが、おじいさんの遺言だったのです。

三平は、いちもくさんに、学校にゆきましたが、
授業は、もう、はじまっていました。

「三平くん、またおくれたね。うしろに立っていなさい。」

先生は、つめたく言いました。

(そんなこと言ったって、家庭の事情があるのに……)

と、思いましたが、三平は、うつむいて立っていました。

するど、ガラッと教室の戸があいて、校長先生があらわれました。

校長先生は、授業なんかそっちのけで、

「三平くん、ぜひ校長室まで。」

と、三平をひっぱっていきました。

校長室には、村長さんがまっていました。

「三平くん、じつは、きみが、このまえの水泳大会で世界新記録を樹立したので、われわれとしても、だまっておれなくなったのだ。」

「今年の国体に、ぜひとも出場してほしい。そして、やがてはオリンピックに出場して……。」

「ギョッ!!」
三平は、びっくりして、
きぜつしそうになりました。
「わ、わたしは、泳げないのです。」
「村長さん、これは三平くんの
口ぐせなんです。」
村長、校長というえらい人たちが、
口をそろえて言いました。
「万事手配しておいたから、
一か月後の国体には、
ぜひ出場してくれたまえ。」

「えらいことになったぞ。」

三平(さんぺい)は、ひやあせタラタラ、家(いえ)にかえりました。

「そもそも、カッパが水泳大会(すいえいたいかい)に出(で)たのが、まずかったんだ。

カッパのやつ、勉強(べんきょう)がいやなもんだから、勝手(かって)にどこかへ
いってしまった……。でも、これも、あいつのまいたタネだ。

あいつにやらせよう。」

三平(さんぺい)は、ふねにのって、川(かわ)を上(のぼ)って、
カッパをさがしにいくことにしました。

川ものむらがっているところまできて、カッパを
よんでみました。

「おーい、カッパ！」

水面にボコボコと、あぶくがあがってきたかと
思うと、カッパが頭を出しました。

「おい、おれのかわりに水泳大会に出てくれよ。」

三平が言うと、カッパは、

「ぼくは、もう人間の世界に出るつもりは、
まったくないよ。」

と、言いはります。

「なんだよ、おまえが、まいたタネじゃないか。」

三平は、あせりました。

「カッパの泳ぎ方をおしえてやるから、
おまえ、泳げばいいじゃないか。」

カッパは、いともかんたんに、言います。

「カッパの泳ぎ方って、どうするんだ。」

「ガスの力を、ロケットのように噴射させて泳ぐ、
いわば、ロケット泳法とも言うべきものだ。」

「ガスって、プロパンガスか？」

「バカッ。へだよ。オナラだよ。」

カッパは、こともなげに言います。

「そんなもので……？」

「あのな、三平、人間は一馬力だけど、
カッパは肛門が三ツあるから、三馬力なんだ。」

「なるほど。しかし、人間にそんなことができるかなぁ。」

　三平は、かんしんしてたずねました。

「バカだな。なにごとも工夫だよ。」

「工夫？」

「イモとか、レンコンを食べたりして研究するんだ。じゃあつづきはあした。」

と、カッパは、川底の家にかえりました。

「なるほど、自分の体内で生産される爆発力を利用して、泳ぐわけだ。」

　三平が、泳ぎ方を考えながら川を下っていくと、いきなり木の枝につつかれて、川におちてしまいました。

「たすけてくれー。」

とん
あ!

すると、木の中から、黒い顔のたぬきが出てきました。

「バカヤロウ。だらしのないやつだ。」

木の枝は、たぬきのしわざだったのです。

たぬきは、三平を岸に助けあげると、わざとらしく、
たずねます。

「おい、だいじょうぶか。」

「うん。」

「じゃあ、ゆうべのビンタを、かえさせてもらうぜ。」

ビビビビーン。

たぬきは、ひん死の三平をなぐりつけると、
たいせつなふねをうばって、にげてゆきました。

「こんな、たいせつなときに、
なんてひどいいたずらを
するんだ。ちきしょう。」
三平は、歯がみしますが、
どうすることもできません。
「こんど、見つけたら、
えんりょなく、たぬき汁に
するぞ。」
三平は、家にかえって、
小人のせわや、おとうさんの
かんびょうにつとめます。
「三平、おまえにめいわく

ばかりかけて、すまんな。小人たちも、おまえに感謝している。」

　おとうさんは、ほんとにすまなそうに、言いました。

「おとうさん。なにか食べたいものはないですか。」

「そうだねえ。大根おろしが食べてみたいなぁ。」

「あ、大根なら、おやすいごようです。」

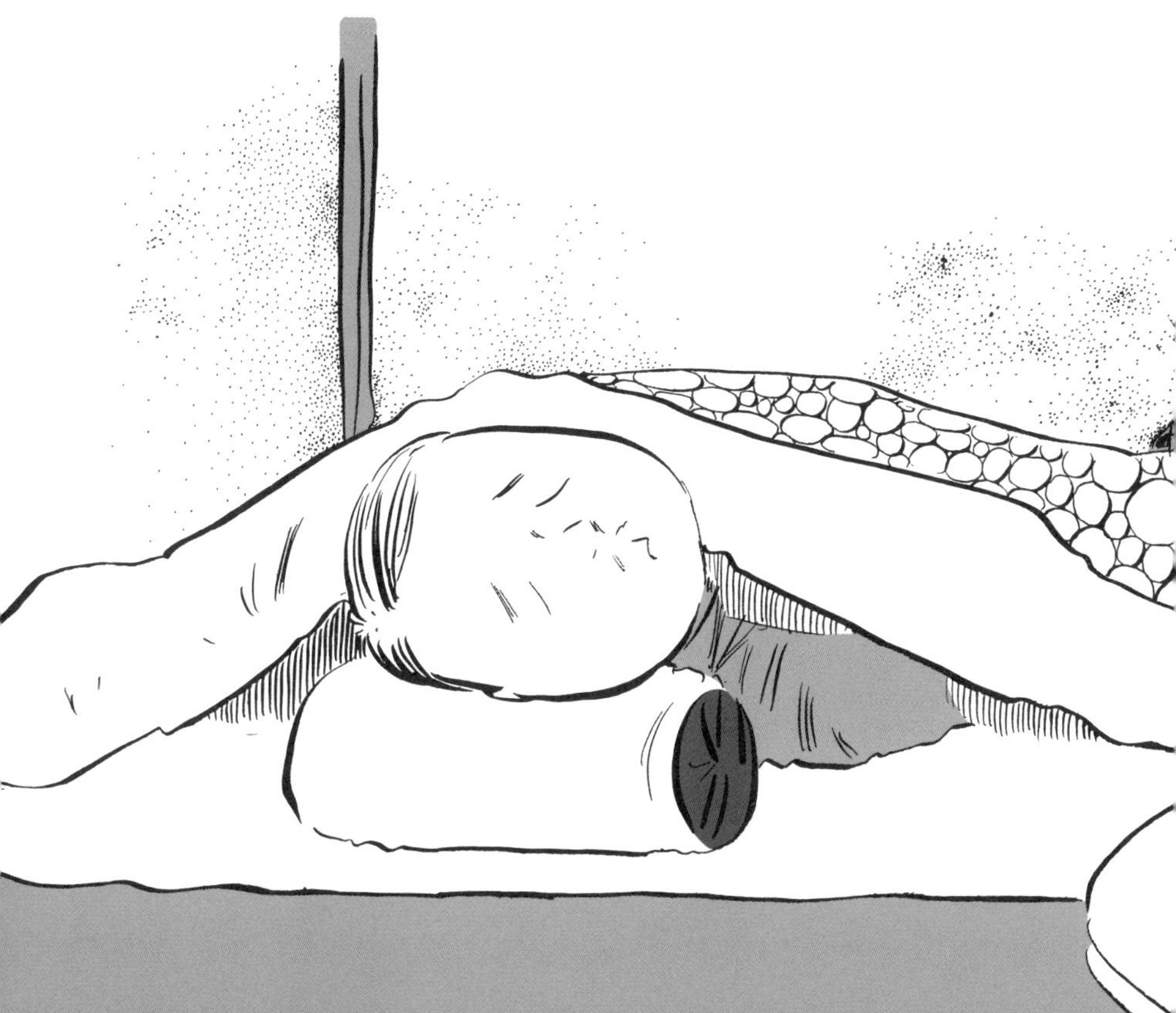

あくる日、三平ははちまきを
しめて、はりきって大根畑に
出かけました。
するど、ポンポコポンと、
タイコの音がします。
なんだろうと思って、
ふりむいてみると、コーンと、
大根がとんできました。

「イテッ。」

「おーい。ここだよ。」

またしても、いたずらだぬきの

しわざです。

「ぼくは、おまえなんかを、

あいてにしているひまは、

ないのだ。」

三平が、たぬきを無視して、畑しごとをしていると、また、たぬきが、大根をなげてきました。

三平が、あたりを見まわすと、大根がほとんどぬかれています。

「じょうだんじゃない。ぼくは十人も小人をやしなっているんだぞーっ。」

ポーン、ポーンと大根をなげてきて、たぬきのわるさは、やみそうにありません。

ポンポコポン

ドスッ

「ははは、くやしけりゃあ、ここまでこい。」

　にくたらしいたぬきは、三平をせせらわらっています。

「こいつ。」

と、三平は竹やりで、つっこんでゆきます。

　ところが、たぬきのしかけたおとし穴に、まんまと、はまってしまいました。

「ちきしょう。こう、じゃまされては生かしてはおけない。打ちのめすまで、たたかうぞ！」

ところが、こんどはたぬきの
すがたが見えません。
三平は、こうなったら長期戦、
とばかり、大根畑にかくれて
まっていました。
すると、なんと、大根が
スポッスポッと、地面の中に
消えていくではありませんか。

「ちきしょう。たぬきのやつ、
地下から大根をとるつもりだな。
おい、たぬき、出てこい！」
「バカヤロウ。いたずらが
おもしろくてやってんのに、
そう、やすやすと、
出られるかい。」
たぬきは、地下に穴を
ほって、あくまでいたずらを
しようという考えです。

地面をほっているうちに、カチッ、へんなツボにあたりました。

「なんだ、こりゃあ。古いツボらしいな。きっと、たからものでも入っているんだろう。あけてみよう。」

ドロドロドロドローン。

ふたをとると、中から、大だぬきが出てきました。

「あ、あなたさまは、どなたで……!?」

「わしか、わしは、三百年もの長いあいだ、ツボの中に封じられていた魔法だぬきというものだ。」

「ええっ、すると、わたしどもの同類であられますか!」

「バカヤロウ。たぬきはたぬきでも、わしとおまえは、ぜんぜんべつなのだ。」

魔法だぬきは、妖気をただよわせて、そう言いました。

「と、もうしますと……。」

「わしゃ、ばけだぬきじゃよ。すなわち超能力をもっとるんじゃ。」

「へーえ。」

「出口はどこじゃ。」

「はっ、こちらで……。」

いたずらだぬきは、三平のいるあたりを指さします。

ミシミシミシ……。

「うむ、たぬきのやつめ、とうとう出てきたな。」

三平は、力まかせに、もりあがった土の上をなぐりつけました。

ボガーン。

「あっ、たぬきのやつ、バカに大きくなりやがったな。」

すると、土の中から、モーッ。

「モーッは、牛のなき声だ。ばけたなら、しょうじきに言わないと、もう一ぱつくらわすぞ。」

三平が、棒をもって、みがまえたときです。

むくむくむく。

巨大なたぬきが、あらわれたのです。

「お、おい、三平、にげろ！　こいつはばけものだ！
魔法だぬきだ！」
さすがのいたずらだぬきも、しどろもどろです。
「ウオーッ!!」
おそろしいうなり声がきこえたかと思うと、
ボンボンボンボーン
と、キングコングが胸をたたくような音が、ひびいてきました。

ガラガラ、ピシャン。

三平とたぬきが家にかけこんできて戸をしめると、

「いったい、なにごとです？」

と、小人たちが、かけよってきました。

「おまえたちは、早くこの中にひなんしろ。」

三平は、小人たちを、トランクの中にかくしました。

「なんだ、おめえ。

ずいぶんやしなうんだなあ。」

いたずらだぬきも、びっくりしました。

そのときです。

ドスン、ドスン、ドスン。
地ひびきをたてながら、
魔法だぬきが、ちかづいて
きました。

「い、いよいよ、
きたらしいぞ！」

三平とたぬきが、
ふるえていると、

メリメリメリーッ、
という音がして、
やねがもちあがりました。

魔法だぬきにジロリとにらまれて、三平とたぬきは、いそいで、ごまかしました。

「す、すみません。ご、ごちそうをしようと思って、ひと足おさきに……。」

「なに、ごちそう……？」

「はい、さようでございます。」

「なかなか、よく気がつくやつだ。わしは、三百年間、なにも食べていないので、腹ペコだ。」

「魔法だぬきさま。まず、やねをそっとおろしてください。」

「よしきた。」

魔法だぬきは、ドサッと、やねをおろしました。

「たぬき！　なんであんなものをひっぱり出したんだ。」

三平は、たぬきにくってかかります。

「ツボの中に入ってたんだ！」

「そんなバカな話があるか。しょうじきに言わないと、しめ殺すぞ。」

「そんなこと言ったって、あいては妖怪だもの。」

そうこうしているうちに、
しびれをきらした
魔法だぬきが、
やねをもちあげました。
「ごちそうは、
まだかーっ。」
われがねのような声で、
さけびます。

「こうなりゃあ、フロおけでイモをふかすしかない。」

三平は、フロおけで、イモをふかしはじめました。

でも、すぐにはできません。

「まだか。」

魔法だぬきは、また、のぞきこみます。

「は、もうしばらくです。」

「どうも時間がかかるようじゃな。そのあいだに、畑のものを食べさせてもらうぞ。」

魔法(まほう)だぬきは、
ドスンドスンと、畑(はたけ)のほうに
ゆきます。
畑(はたけ)のものを、ぜんぶ
たいらげると、魔法(まほう)だぬきは、
やねをとって、家(いえ)をベッドの
かわりに、ひるねを
はじめました。
ゴーッ、ゴーッ。
かみなりのようないびきです。

「いったい、これから、おれたちはどうなるんだ。」

三平は、おとうさんにそうだんしましたが、いいちえがうかびません。

「三平ッ。」

たぬきが、よびました。

「魔法だぬきはな、このツボの中に入っていたんだ。」

「なるほど、もういちど、魔法だぬきに、この中に入ってもらおうというわけか。」

三平は、いいアイデアだと、思いました。

「しかし、ツボに入れたって、また出てきたら、どうするんだ。」

「いや、このセンをすれば、出られなくなるんだ。」

たぬきは、とくいになって、こたえました。

魔法だぬきをツボに入れて、ふたたび地面にうめてしまおうということで、話はまとまりました。

ところが、三平はとつぜん、まっさおになって、にげだしました。

「おい、三平、どうしたんだ。おれさまが、めでたく事件をかいけつしてやろうというのに……。」

たぬきは、うしろに魔法だぬきが立っているのに、気づいていません。

「へんだなあ。」

たぬきが、ひとりごとを言って、ボヤッとしていると、いきなりうしろから、首すじをつかまれてしまいました。

「おい、ばんめしの用意はどうなっているんだ。」

たぬきはおどろいて、ことばが出ません。

「はっきり言わないと、食べてしまうぞ。」

「はっ、じつはそのあの……、アノネノネ。」

「な、なんだと。」

と、どなられて、いたずらだぬきは、
くるしまぎれに、口からでまかせを言いました。

「じつは、この中にたいせつなカギを
おとしてしまったんです。」

「なに、カギをおとした？」

「そ、そうなんです。なにしろ頭がわるいものですから、ぼくには、とれないのです。」

「ちょっと、かしてみな。」

魔法だぬきは、ツボをいじくりまわし、さかさにしてみました。

「なにも入っとらんようじゃが。」

魔法だぬきは、うたがいの目で、いたずらだぬきをにらみました。

「あのう、魔法だぬきさま、ツボにはセンがしてございます。」

「なるほど、センがしてあれば出るわけがないな。」

魔法だぬきは、センをとって、ツボをさかさにしますが、
なにも出てきません。

「きさま、だましたな。」

「いえ、穴が、つまってるんです。」

「穴が、つまっとる?……。

おまえ、まさかおれをだますつもりじゃあ……。」

と、言いながら、魔法だぬきがツボにゆびを
入れたとたん……。

スーッ、
という、UFO(ユーフォー)みたいな音(おと)がして、
魔法(まほう)だぬきがツボの中(なか)にすいこまれて
いくではありませんか。

いたずらだぬきは、
トッ
と、ツボのセンをしました。
「三平(さんぺい)、とうとう、せいこうしたぞ。」
たぬきも三平(さんぺい)も、おおよろこびです。

三平は、カッパといっしょでした。
カッパは、三平が川に
やってこないので、
どうなったかと思って、
しんぱいして三平を
たずねてきたのでした。
「魔法だぬきにとりまぎれて、
国体のことをすっかりわすれていた。」
三平に、しんぱいのタネは
つきません。
「そんなこっちゃないかと思って、
おまえのためにに、すばらしい
プレゼントをもってきたんだ。」

「なんだ。」

「ロケットイモだ。」

「なんだ、イモか。」

三平は、がっかりしました。

「バカ。カッパが競争用につかうジェットエンジンのようなイモだ。」

「そんなイモがあるのか。そいつぁ、すばらしいや。」

なにしろ、村長さんや校長さんが、三平に期待しているのです。

三平は、勝たなければいけないのです。

いよいよ、国体まで、あと三日。

「三平が国体に出るが、泳げない三平がロケットイモを食べて、万一、不発でガスが出なかったとしたら、国体のプールの中で水死するかもしれない。わしはそれがいちばんしんぱいだ。」

おとうさんは、元気がありません。

「さすがは、おとうさん。そこまで考えておられるのですか。それならば、小人族に祖先からつたわるヘコキ虫のへを粉末にした飛行粉をもってゆかせましょう。」

小人の長老が言いました。

「なに、きみたちのたいせつな飛行粉を……？

しかし、三平は飛行粉の使い方を知っているかなあ。」

おとうさんは、また、しんぱいしました。

「いえ、小人がふたり、三平さんのポケットに入ってついてゆきますから、だいじょうぶです。」

長老は、まかせておいてください、という顔をしました。

あくる日、村長さんと校長先生が、
三平をむかえにきました。
おとうさんや小人たちのせわを、
カッパとたぬきにたのんで、
三平は、しかたなく、国体会場に
むかいます。
そのとき、ふたりの小人が
飛行粉をもって、
三平のポケットに、
しのびこみました。

ロケットイモの馬力で、三平は予選をどんどん勝ちすすんでいきます。
すべて、世界新記録です。
スポーツ界はじめ、日本中、大さわぎです。
新聞記者やテレビ局の人たちが、毎日おしかけてきます。
三平は、とくいになって、取材をうけているうちに、ロケットイモを、
どこかへなくしてしまいました。
しかし、三平は、すっかり自分が泳げるような
気もちになってしまっていました。
また、腹の中に、ロケットイモののこりカスがあったので、
それでだいじょうぶだと思って、スタート台に立ちました。
いよいよ、決勝です。

バーン!

スタートのあいずが、なりました。

ぜんいん、いきおいよく、とびこみました。

しかし、どうしたわけか、三平はプールに入ったまま、いっこうにすすみません。

たいせつなガスが出ないのです。

村長さんたちは、三平が優勝しなければ、村へかえれない、と、さわぎだしました。

まだ、三平はすすみません。

「三平さんが、たいへんだ!」

けんぶつせきで、これを見ていた小人は、ヘコキ虫の粉末をのむと、ピョンピョンと、けんぶつ人の頭をとびこえて、三平のしりにくっつきました。

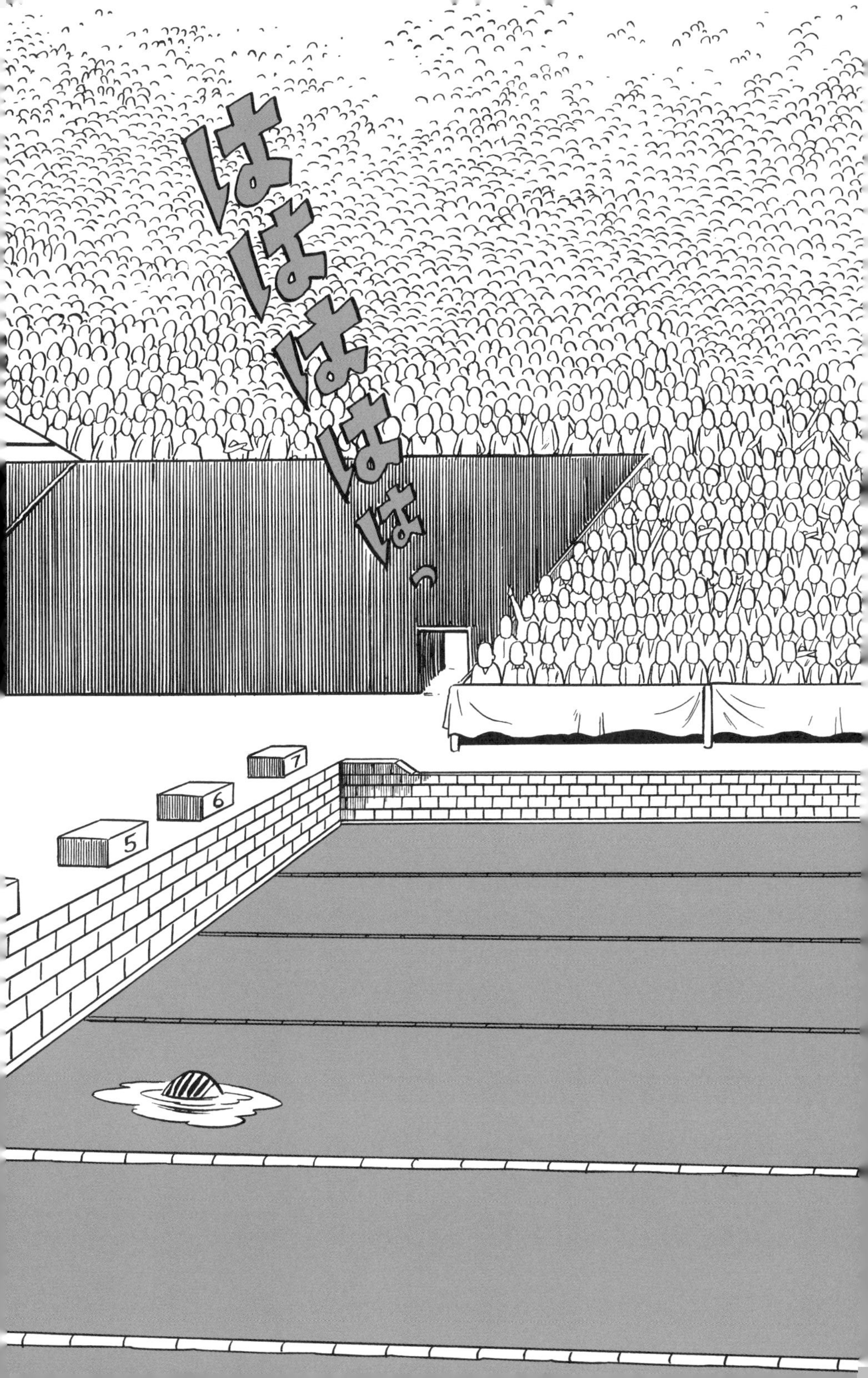
ははははは、

同時に、三平のしりが、
ブリブリブリブリ、と、なりました。
つづいて、ビビビビ、と、なって、三平は
トビウオのように、プールをとびました。
「あーっ、河原三平くんの空中泳法です！
こんな泳ぎ方は、見たことがありません！」
アナウンサーは、ショックのあまり、
マイクロホンをにぎりつぶしてしまいました。
三平は、ほかの選手を、アッと言うまに、
ぬきさり、トップでゴールイン！
もちろん世界新記録です。

バシ
役員
4
3

しかし、審判員やスポーツ評論家たちは、
「三平の泳法は、水泳ではなく空泳だ。」
と言って、三平の一着をみとめません。
マスコミだけが、大さわぎして、新聞には、
『世紀の空中泳法！　山の中の小学生が開発!!』
と、デカデカと、かきたてました。
しかし、三平が失格ときまると、
村長さんや校長先生は、三平のこともわすれ、
首をうなだれて、村へかえっていきました。

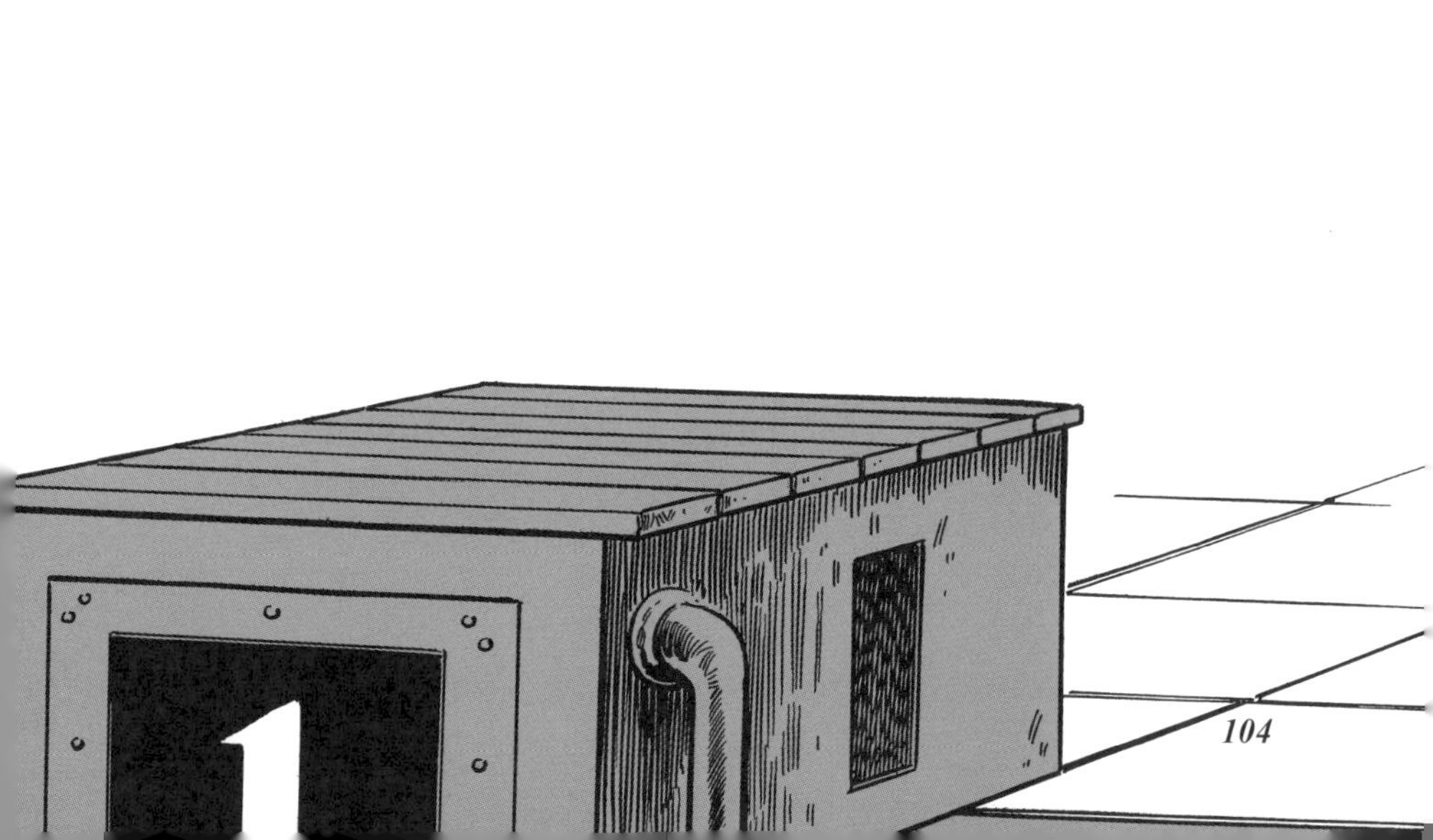

村長さんたちの期待に、こたえられなかったむなしさと、やくめをおえた安堵感とで、三平はボーッと、へやにすわっていました。

すると、見しらぬ女の人が、三平をたずねてきました。

それは、三平を大学にやるために、東京ではたらいていた三平のおかあさんでした。

「三平や、おまえ、大きくなって……。くろうかけたねえ。」

おかあさんは、なみだぐんでいました。

「おかあさん、どうして、いままでだまっていたのです。」

三平も、声がつまって、なかなかことばになりません。

「目的をとげるまでは、会うまいと決心して町へ出たのです。

でも、おかげでお金がたまりました。」

選手脱衣

三平とおかあさんとふたりの小人は、山へかえりました。
山では、おかあさんがかえってきたので、大よろこびです。

「おまえ、よくかえってきてくれたね。ほんとに、すまなかった。わしの死病も、じきになおる気がするよ。」

おとうさんは、山にきてから、はじめてわらいました。

こうして、三平は、
両親、たぬき、カッパ、
小人とともに、
人里はなれた山の中で、
平和にたのしく、
くらしたのでした。

水木しげる

1922年、鳥取県境港市出身。同市の高等小学校を出て大阪にゆき、いろいろな職業につきながら、いろいろな学校を出たり入ったりする。戦争で左腕を失う。著書には『ゲゲゲの鬼太郎』『悪魔くん』『河童の三平』『日本妖怪大全』などがある。

※本書は、1982年にポプラ社より刊行された『水木しげるのおばけ学校⑧　カッパの三平　魔法だぬき』を再編集したものです。再編集にあたって、一部、現代の社会通念や人権意識からは不適切と思われる表現を修正しております。

カッパの三平　魔法だぬき

新装版　水木しげるのおばけ学校⑧

2024年9月　第1刷

著　者　水木しげる

発行者　加藤裕樹

発行所　株式会社 ポプラ社

〒141-8210 東京都品川区西五反田3-5-8
JR目黒MARCビル12階
ホームページ　www.poplar.co.jp

印刷・製本　中央精版印刷株式会社

デザイン　野条友史（buku）

ロゴデザイン協力　BALCOLONY.

N.D.C.913 ／ 111P ／ 22cm ISBN 978-4-591-18273-4
P4184008

通